Donders!

Van wie is die arm?!

Lees ook van Selma Noort:

Raven, de jongen van het eiland
(waarin opgenomen *Eilandheimwee* (Zilveren Griffel 1993), *Eilandkind*
en *Sterreneiland*)
Pol en Lot
Pol en het geheim in de verborgen tuin
Pol en de kans van zijn leven
Musje, mijn zusje
Het geheim van de snoepfabriek
Het geheim van het gat in de dijk
Het geheim van het spookhuis
Met de koppen tegen elkaar
Gestampte meisjes en weggegooide jongens
Mag ik je spook even lenen? (Zilveren Griffel 2003)
Wat nou weer?! (omnibus van de drie bovengenoemde titels)
Sinterklaas kan best tegen een grapje
Pas op voor die oliebol!
Drakensnot met tumtummetjes
Rustig blijven, niks aan de hand

www.selmanoort.nl
www.leopold.nl

Selma Noort
Donders!
Van wie is die arm?!

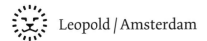
Leopold / Amsterdam

AVI 7

Copyright © Selma Noort 2009
Omslag en illustraties Els van Egeraat
Vormgeving omslag en binnenwerk Nancy Koot
NUR 282 / ISBN 978 90 258 5505 5

Inhoud

Een net, gehoorzaam meisje...

Mami en Dani Donder staan in de gang van Dani's nieuwe
school te wachten.

Mami buigt zich over Dani heen.

'En gedráág je hier op je nieuwe school nou eens, voor de
verandering!' zegt ze.

'Maar Mami, ik gedraag me toch altijd!' sputtert Dani tegen.

'Ik bedoel... als een net, gehoorzaam, gewóón meisje.'

Dani zucht. Ze geeft haar moeder een kus op haar wang.

'Daar komt je juf,' zegt Mami. 'Vooruit!'

Dani Donder zwaait door het raam naar haar moeder. Dan
geeft ze haar nieuwe juf een hand.

De juf glimlacht naar haar. Ze is klein en mollig en ze heeft
kuiltjes in haar wangen. Op het puntje van haar neus staat een
glimmend leesbrilletje.

'Welkom in groep vijf, Daniëlle. Ik ben juf Sybille,' zegt ze
vriendelijk.

Dani verslikt zich van schrik. O nee, ze wil niet lachen! Ze
gaat zich gedragen als een gewoon meisje. Als een net meisje.
En een net, gewoon meisje gaat niet keihard lachen als de juf
haar naam zegt.

Dani hoest. Ze krijgt er tranen van in haar ogen. Maar ze
lacht niet!

Als ze weer een beetje kan praten zegt ze: 'Ik heet eigenlijk Dani, juffrouw Ziebillen. Daniëlle is alleen voor op mijn
zwemdiploma's en voor mijn deftige oma.'

'Juist ja. Dani dus,' zegt juf Sybille. De kuiltjes in haar wangen zijn verdwenen. 'En ik heet juf Sybille met een Griekse y, en niet juf Zie-billen!'

Ze buigt zich naar Dani over. 'Sie-bille!' zegt ze langzaam.

'O! Ik dacht... eh... ja, juf!' roept Dani opgelucht.

'Hm!' Juf Sybille wrijft langs haar neus. 'Kom maar mee naar de klas. We moeten deze trap op. Onze klas is op de eerste verdieping.'

De kinderen in de klas zitten twee aan twee. Onder het raam staan tegen het bureau van de juf twee lege tafeltjes.

'Ga daar maar zitten, Dani,' zegt juf Sybille, als ze Dani heeft voorgesteld aan de klas.

'Ja juf Sybille, dat zal ik doen,' zegt Dani, zo ijverig dat de kinderen beginnen te grinniken.

Juf Sybille zwiept met haar liniaal tegen het schoolbord. PETS!

'Orde!' roept ze.

De kinderen houden op met lachen en gaan snel recht zitten. Juf Sybille begint de tafel van zeven op het bord te schrijven.

Dani gaat aan een van de twee lege tafeltjes zitten, netjes rechtop. Ze kijkt de klas rond. Alle kinderen kijken naar juf Sybille. Niemand let meer op haar.

'Ik kan me best gedragen als een gewoon, gehoorzaam meisje,' mompelt ze tegen zichzelf.

Dus ze draait haar mond op slot met een onzichtbaar sleuteltje en vouwt haar armen stijf over elkaar.

...en een brave jongen

Een uur later wordt er op de deur van de klas geklopt. De kinderen zitten te rekenen. Dani heeft een schrift en een pen gekregen. Ze doet erg haar best. Het puntje van haar tong steekt uit haar mond.

'Ja, kom maar!' roept juf Sybille. Ze kijkt niet op.

De deur gaat open. Er stapt een man over de drempel. Aan een riem trekt hij een enorme hond mee naar het bureau van juf Sybille.

Alle kinderen staren. Juf Sybille nu ook, met grote ronde ogen van verbazing.

'Menéér! Wat moet dat met dat bakbeest?' snauwt ze.

'Zit!' commandeert de man de hond.

Achter hem is een jongen de klas binnen gekomen. Zijn donkere haar hangt in woeste krullen om zijn gezicht. Hij hijst een smoezelige broek op die hem een beetje te wijd is. Maar zijn witte bloes is keurig schoon en gestreken.

Dani staart naar de man en de jongen. Is dat even boffen! Ze is nog geen uur op haar nieuwe school en er gebeurt al iets spannends.

'Goeiemorgen, juffrouw. Ik kom een nieuwe leerling brengen.' De man steekt zijn hand uit.

Juf Sybille staat op en schudt stijfjes zijn hand. 'Nóg een nieuwe leerling? Maar daar weet ik niks van! Heeft u hem wel aangemeld?'

De hond gromt.

'Bráaf!' dreigt juf Sybille. Ze pakt haar liniaal van haar bureau en zwiept er waarschuwend mee.

'Aangemeld? Mot dat dan?' vraagt de man verbaasd.

'Móét dat dan?' verbetert juf Sybille hem. 'En ja, dat moet.'

'O, nou, as 't móét!' zegt de man. 'Dan doe ik dat nog wel effe. Dan laat ik Jan nou maar bij u achter. Hij is een brave jongen, hoor.'

'Aanmelden moet bij de directeur,' zegt juf Sybille nog. 'Die zit beneden in het kantoortje bij de voordeur. En de school begint om kwart voor negen. Niet om...' Ze kijkt op de klok boven de deur. '... bijna half elf.'

'Ja juf. Goed juf. Dág Pa!' zegt de jongen.

'Dag Jan, tot straks hoor.'

De man pakt juf Sybilles hand weer en pompt hem op en neer. Dan zegt hij tegen de hond: 'Wendolien, laat jij de juf-frouw es zien hoe lief jij 'n kusje kan geven?'

De grote hond springt op. Ze zet haar voorpoten tegen de borst van juf Sybille en slobbert met een lange, roze tong over haar neus.

'Help, o help! Grmmmbl! Getsiederrie!' gilt juf Sybille gesmoord. Ze valt bijna achterover tegen het bord.

De kinderen zijn gaan staan om alles goed te kunnen zien. Ze schreeuwen en praten door elkaar.

Dan is Jans vader weg.

De jongen legt zijn hand op juf Sybilles arm. 'Waar mot ik zitten, juf?' vraagt hij.

Dani glimlacht. Ze ziet het meteen.

Die jongen doet ook heel erg zijn best om op een nette, gehoorzame, gewóne jongen te lijken.

Hier houd ik niet van!

Juf Sybille is op haar stoel achter haar bureau gaan zitten. Ze neemt kleine slokjes water uit het glas dat voor haar staat en houdt haar hand tegen haar hart gedrukt. Ze ademt snel.

De klas is stil. Zo'n ochtend hebben de kinderen nog nooit meegemaakt!

Jan staat voor het bord en wacht geduldig.

'Jan, luister goed naar me,' zegt juf Sybille, als ze weer kan praten. 'Dit mag nooit meer gebeuren, hier houd ik niet van! Hóór je me!'

'Ik hoor u, juf,' zegt Jan. 'U houd niet van zoentjes.'

'Hè? Dat zeg ik niet!
Ik houd niet van
hónden die tegen
me opspringen
en mijn gezicht
likken!' roept
juf Sybille.

'Dus u houdt niet van hondenzoentjes, maar toch wel van gewoon zoenen?' vraagt Jan voor de zekerheid. Hij wil alles op zijn nieuwe school graag goed begrijpen.

De klas giert van het lachen. Dani probeert ernstig te blijven kijken.

'Ik... jij...' Juf Sybille komt adem te kort. 'Zo is het genoeg.' Ze pakt haar liniaal en mept ermee op haar bureau. PATS!

'Ga verder met het overschrijven van de tafel van zeven. Als jullie niet op tijd klaar zijn, slaan we het speelkwartier over. Begrepen?'

Daar schrikt de klas van. De kinderen buigen zich weer over hun schrift, maar door hun wimpers gluren ze nog naar Jan en de juf.

'Daar is een tafeltje vrij, Jan.' Juf Sybille wijst.

Jan loopt naar het lege tafeltje naast Dani en gaat zitten.

'Wanneer is dat speelkwartier?' fluistert hij.

'Ik weet het niet precies,' fluistert Dani terug. 'Bijna, denk ik. Ik ben hier vanmorgen voor het eerst, net als jij.'

'Hoe heet je?'

'Dani.'

Juf Sybille komt Jan een schrift, een pen en potlood brengen.

'Zet je naam maar op de voorkant van je schrift, Jan,' zegt ze. Ze glimlacht alweer.

'Mijn achternaam ook?' vraagt Jan.

'Ja, Jan. Je achternaam ook. Wat is trouwens je achternaam?'

'Donder, juf.'

Dani zuigt haar adem met een hard geluid naar binnen.

'Twee nieuwe kinderen en ze heten allebei Donder,' zegt een meisje ongelovig.

Juf Sybille schudt haar hoofd. Ze kijkt Jan scherp aan. 'Weet je het zeker?' vraagt ze.

Jan kijkt verbaasd. 'Ja juf,' zegt hij.

Hoofdschuddend loopt juf Sybille terug naar haar bureau.

'Zo heet ik ook!' fluistert Dani.

Het duurt even voordat Jan het begrijpt. 'Echt?'

Dani knikt.

Jan schudt zijn hoofd. Zijn ogen glinsteren. 'Wauw!'

Hoe is het mogelijk

Jan en Dani lopen naast elkaar het schoolplein af.

'Welke kant moet jij op?' vraagt Dani.

Jan wijst. 'Daarheen.'

'Ik ook,' zegt Dani. En samen lopen ze een oude gracht op.

'We zijn hier vorige week pas komen wonen,' vertelt Jan. 'Mijn vader gaat een groentewinkel openen. Vroeger hadden we een suikerspinnenkraam op de kermis. We waren altijd onderweg ergens naartoe en ik mocht overal gratis in.' Hij zucht.

'Ik ben hier gisteren pas komen wonen,' vertelt Dani. 'Ik woonde eerst in Rotterdam. Mijn moeder heeft hier een nieuwe baan gekregen. We kwamen gisterenavond aan in het donker en we hebben in slaapzakken op de grond geslapen.'

Ze lopen een stukje en denken na.

'Op mijn oude school zei mijn juf altijd: "Dani, je bent een lastige dondersteen!" Mijn moeder

zegt dat ik hier goed moet proberen om een eh… lief en gehoorzaam meisje te zijn. Een gewóón meisje.'

Jan kijkt verrast. 'Weet je wat mijn vader vanmorgen zei
toen hij me naar school bracht? "Doe nou maar net alsof je
een gewóne jongen bent, Jan Donder!"'

'Ik ga echt mijn best doen,' zegt Dani.

'Ik ga het ook proberen,' zegt Jan.

Ze staan stil en staren over het water van de gracht. Jan pakt
Dani's hand. Het is niet raar. Het is vertrouwd. Alsof ze elkaar
al hun hele leven kennen.

Ze lopen een hoog, rond bruggetje op. Als ze bovenop staan, wijzen ze tegelijk dezelfde kant op.

'Kijk, daar woon ik.'

'Maar dat is onze winkel,' zegt Jan.

'Dan wonen wij bij jullie boven,' roept Dani.

'Op nummer 38?' vraagt Jan voor de zekerheid.

'38A,' zegt Dani.

'Kijk nou eens,' begroet Pa Donder de kinderen als ze de groentewinkel binnen stappen. 'Jan met een meissie.' Hij is bezig zakken aardappelen op te stapelen.

'Dit is Dani,' zegt Jan. 'Dani Donder, Pa.'

Pa Donder kijkt ongelovig: 'Neem je grootje in de maling!'

'Ik heet echt Donder,' zegt Dani. 'Als u me niet gelooft, mag u het aan mijn moeder vragen. Wij wonen hierboven, op 38A.'

Pa Donder komt achter de toonbank vandaan. Hij veegt zijn handen af aan zijn groene schort en schudt Dani's hand.

'Zo, dus jij bent ons buurmeissie,' zegt hij. 'Dat is gezellig! Wij zijn hier net komen wonen, moet je weten. Dus we kennen hier verder nog niemand.'

'Wij ook niet,' zegt de stem van Mami. Ze staat in de deuropening van de winkel en kijkt rond.

'Ik zag je hier naar binnen gaan, Dani,' zegt ze. 'Ik keek naar je uit. De verhuizer heeft alle spullen gebracht.'

'Mami!' Dani trekt haar moeder naar binnen. 'Jan was vandaag ook nieuw bij mij in de klas. En hij woont hier!'

Mami lacht en geeft Pa Donder een hand. 'Hallo, ik ben Mami Donder,' stelt ze zich voor.

'En ik ben Kees Donder,' zegt Pa Donder.

Mami's mond blijft openstaan. Je ziet haar denken: Haha, grappig, maar niet heus. Maar ze is te netjes opgevoed om het te zeggen.

Pa Donder loopt naar de deuropening en stapt naar buiten. Hij wenkt. Ze stappen achter hem aan de zonnige gracht op. Op het raam staat de naam van de groentewinkel geschilderd in keurige helderblauwe letters:

KEES DONDER - GROENTE EN FRUIT

'Dat heb je mooi gedaan, Pa!' roept Jan.

'Hoe is het mogelijk!' mompelt Mami verbijsterd. 'Ze heten echt net zo als wij!'

Precies op tijd

Dani zit met haar moeder in de keuken. Overal staan dozen.

'De verhuizer was om half elf alweer weg,' vertelt Mami. Ze smeert een boterham met pindakaas voor Dani.

Die hoort beneden een vrachtwagen stoppen voor de deur. Ze pakt haar boterham aan en loopt naar het raam.

Pa Donder komt naar buiten en praat met de chauffeur, die intussen de achterdeuren van de vrachtwagen opent. Samen beginnen ze uit te laden. Kratten met appels, winterpenen, pompoentjes, sinaasappels en nog veel meer.

Mami komt achter Dani staan en kijkt mee naar beneden. Ze zien Jan naar buiten komen. Hij sjouwt ook een krat naar binnen.

'Misschien wil Jan je vanmiddag wel helpen om je spulletjes in je kamer te zetten,' zegt Mami.

Dani kijkt om. 'Ja, mag hij komen spelen?' vraagt ze blij.

'Natuurlijk, waarom niet? Het lijken me aardige mensen,' zegt Mami. 'Een heel gewóne groenteman en zijn zoontje.'

Dani rent de trap af naar buiten en steekt haar hoofd om de hoek van de deur de groentewinkel in.

'Schiet op, anders komen we te laat!' roept ze naar Jan. 'En dan is de juf meteen al ontevreden over ons.'

Pa Donder geeft Jan een duwtje. 'Die sinaasappels doen we vanmiddag wel, jongen. Ga maar gauw naar school.'

Jan rent al achter Dani aan. 'Dag Pa!' roept hij nog.

Aan het eind van de gracht wordt een deftige kledingwinkel

verbouwd. De deur staat wijdopen en op de stoep staat een puinbak vol bouwafval.

Dani en Jan lopen wat langzamer. Ze kunnen het school-plein zien. De kinderen spelen nog buiten.

'Moet je zien.' Dani stoot Jan aan. 'Er ligt iemand in die bak!'

Jan grinnikt. Er steekt een hand een stukje over de rand van de bak heen. Het lijkt net echt.

Aan de voorkant is de bak lager, zodat ze er beter in kunnen kijken. Op gebroken bakstenen en puin ligt een oude etalage-pop. Het is een blote dame en ze ligt met haar arm omhoog

alsof ze groet. Het is een griezelig gezicht, want ze zit onder de krassen en de schrammen.

'Ach mevrouw, wat ligt u hier nou?' rijmt Dani.

Jan begint in de bak te klimmen. 'Geef me eens een kontje,' zegt hij.

Dani duwt hem omhoog.

'Die arm ligt er bijna vanaf, kijk maar. Daar kunnen we lol mee hebben, joh! Als ik nou...' Jan trekt aan de arm. 'PLOP!' De arm schiet los en Jan valt bijna achterover.

Dani kijkt om zich heen. Komt er iemand aan? Ze kijkt de winkel in en dan naar de kinderen op het schoolplein.

'Pak aan!' roept Jan. Hij steekt de arm naar haar toe. Dani pakt hem aan en duwt het grote koude ding weg onder haar trui tegen haar buik. Jakkes!

Ineens komt er een man aanlopen. Hij draagt een werkbroek vol verfvlekken.

'Hé, wat moet dat daar?!' schreeuwt hij.

Jan schiet overeind. Hij wil de bak uit klimmen maar zijn bloes blijft haken achter een lat.

'Schiet op!' roept Dani.

De man komt dichterbij. 'Maak dat je weg komt, dondersteen!' roept hij naar Jan. 'Je hebt niks te zoeken in die bak! Wegwezen! Donder op!'

'Krak!' Jans bloes scheurt. Hij springt uit de bak op de stoep.

Ze rennen weg, zo hard ze kunnen. Dani drukt de arm tegen haar buik zodat hij niet onder haar jas uit zal vallen.

Als ze op het schoolplein aankomen, gaat de bel.

'Precies op tijd!' Jans ogen glinsteren.

Dani leunt hijgend tegen de muur. 'Wat wil je eigenlijk doen met die arm? En waar moet ik hem nou laten?'

Hier valt niets te roven

'Ik leid de juf wel af,' fluistert Jan.

Hij loopt voor Dani uit de klas in. 'Goedemiddag, juf,' zegt hij tegen juf Sybille, en hij gaat voor haar staan met een uitgestrekte hand.

Juf Sybille is verrast. 'Goedemiddag, Jan,' zegt ze en ze schudt zijn hand.

De kinderen vinden het grappig dat Jan juf Sybille een hand geeft. Ze willen haar ineens allemaal een hand geven. Ze gaan duwend in een rij achter Jan staan en niemand let op Dani.

Dani glipt naar haar tafeltje en trekt de arm onder haar trui vandaan. Ze zet hem op de vensterbank, rechtop tegen de raampost en precies achter het gordijn.

Juf Sybille geeft de eerste drie kinderen uit de rij nog vriendelijk een handje, maar dan heeft ze genoeg van het geduw en het rumoer.

'Ik geloof die handjes verder wel!' buldert ze. 'Zitten allemaal en zeg maar gewoon goeiemiddag, net als anders.'

'Vanmiddag kijken we naar een opname van de schooltelevisie. Het gaat over een eekhoorn die een wintervoorraad aanlegt,' kondigt juf Sybille aan, als ze dicteewoordjes van het bord hebben overgeschreven. 'Dani, doe jij de gordijnen dicht. En Peter, jij doet het licht uit.'

Juf Sybille drukt op het knopje van de dvd-speler. Het licht gaat uit. Heel voorzichtig trekt Dani de gordijnen dicht.

De arm verschuift een beetje. Verschrikt kijken Jan en zij elkaar aan. Oef! Dat ging maar net goed.

Snel gaat Dani weer zitten.

Het filmpje begint.

Iedereen kijkt, behalve één meisje. Zij staart naar Dani en Jan met een gezicht alsof ze moet overgeven.

Dani merkt het. Ze wordt er zenuwachtig van. Ze stoot Jan aan met haar voet en fluistert: 'Waarom kijkt dat meisje zo?'

'Ze heeft een hekel aan mij,' antwoordt Jan opgewekt.

Dani is verbaasd.

'Hoe kan dat nou? Je bent net nieuw op school, ze kent je helemaal niet.'

'Het komt door onze hond.'

'Wendolien?'

'Ja. Weet je hoe dat meisje heet?'

Dani schudt haar hoofd.

'Wendolien.' Jan grijnst. 'Ik zag het op haar schrift staan.'

Dani begrijpt het. 'O, o.'

'Opletten daar, niet fluisteren.' Juf Sybille kijkt streng over haar leesbril de kant van Dani en Jan uit.

En dan gebeurt het. Er klinkt een schuivend geluid. Het gordijn fladdert als een spook. Iets valt met een klap van de vensterbank op de verwarming, die galmt als een kerkklok. 'Kledéng! Dóiiing!'

Een paar kinderen gillen van schrik. Iedereen springt op, juf Sybille ook.

'Wat gebeurt daar? Wie komt daar door het raam?' schreeuwt ze.

Ze grijpt haar liniaal en zwaait hem boven haar hoofd in het rond.

'Wegwezen! Hier valt niets te roven. Hier zijn alleen maar kinderen!'

Wendolien wijst.

'Wáááh!' gilt ze. 'Dáár! Daar ligt iemand, ik zie een arm! Er ligt iemand bij de verwarming!'

In de hoek!

'Blijf zitten allemaal!' roept juf Sybille eerst. En dan: 'Doe het licht aan! Blijf zitten. Doe de gordijnen open! Zitten blijven! Rustig allemaal, doe wat ik zeg.'

De kinderen gaan zitten en staan en weer zitten en staan. Ze botsen tegen elkaar, op weg naar de lichtknop en de gordijnen en dan weer op weg naar hun tafeltjes.

Dani en Jan zitten een moment stijf van schrik. Dan duikt Jan onder de verwarming en trekt de arm tevoorschijn. Dani verdwijnt achter het gordijn en rukt aan de knop van het raam. Met een knal schiet het open. Frisse wind blaast tegen haar vuurrode wangen.

Er is geen tijd om na te denken. Jan verschijnt met de arm naast Dani en duwt hem over de vensterbank naar buiten.

Kadoef! klinkt het beneden in de bosjes.

'Wat gebeurt daar? Ik zie het verdikkeme niet goed!' roept juf Sybille.

Dani trekt het ene gordijn open en Jan het andere. Licht stroomt de klas binnen.

Alle kinderen kijken naar het raam, dat onschuldig heen en weer beweegt in de wind.

'Het raam is alleen maar opengewaaid, juf,' zegt Jan. Hij trekt het dicht. De gordijnen hangen weer stil. Een paar spettertjes regen tikken tegen de ruit.

Juf Sybille laat haar liniaal zakken. Haar ogen kijken wild de klas rond.

Wendolien dreint nog: 'Onder de verwarming. Er ligt ie-hie-

mand onder de verwarming.' Er komt een snottebel uit haar neus.

Juf Sybille komt achter haar bureau vandaan. Ze bukt zich en kijkt onder de verwarming.

'Wáár?' vraagt ze scherp. 'Wáár dan toch, Wendolien?'

'Ik zie niks, hoor,' zegt Dani.

'Ik ook niet,' zegt Jan. 'Het was gewoon de wind.'

Juf Sybille komt overeind. 'Raar kind!' zegt ze nijdig tegen Wendolien. 'Hoe kom je erbij om zoiets te verzinnen en ieder-

een aan het schrikken te maken! Hou op met dat gesnotter
en ga in de hoek staan. Dan kun je nadenken over het verschil
tussen leuke grapjes en vervelende!'

'Er lag echt iemand,' dreint Wendolien. 'Maar die twee
nieuwe kinderen, die deden iets!' Woedend kijkt ze naar Jan en
Dani.

'Dat is helemaal mooi! Nu ook nog zomaar iemand beschul-
digen!' Juf Sybilles vinger wijst streng naar de hoek naast
de deur. 'Daar, Wendolien! En ik wil je voorlopig niet meer
horen!'

Juf Sybille ziet eruit alsof ze zich schaamt.

'Was dat even raar,' zegt ze. 'We kijken een andere keer wel
verder naar de eekhoorn, laten we nu maar gaan zingen, daar
worden we weer vrolijk van.'

Ze pakt een triangel en een tamboerijn uit de kast. 'Eens
even zien,' zegt ze en ze kijkt de klas rond. Een paar kinderen
gaan meteen rechtop zitten met hun armen stijf over elkaar.

'Jan, jij mag de triangel.' Juf Sybille geeft Jan de triangel.
'En... Ella, jij mag de tamboerijn.'

Ze zingen een herfstliedje over een eekhoorn.

Jan tingelt netjes in de maat op de triangel en Dani doet
haar best. Ze kan mooi zingen. Jan niet. Jan zingt vals. Maar
daar kan hij niks aan doen.

Wendolien staat in de hoek. Haar rug ziet er kwaad uit.
Nu en dan kijkt ze even opzij naar juf Sybille om te zien of ze
alweer terug mag naar haar tafeltje.

Maar juf Sybille doet net alsof ze dat niet merkt.

Rare kinderen?

De bel gaat.

'Snel!' fluistert Jan. 'We moeten die arm uit de bosjes vissen voor iemand hem ziet liggen.'

Ze rennen de trap af naar buiten.

Maar daar staat Pa Donder, op het plein bij de deur.

'Ik dacht, ik moet toch effe naar de bakker. Ik loop meteen langs Jan z'n school om te zien of alles daar goed gaat,' zegt hij opgewekt.

'O, eh... Ja. Alles gaat goed, hoor pa.' Jan kijkt naar Dani. Wat nu? seinen zijn ogen.

Dani weet het ook niet. Ze haalt haar schouders op.

Pa Donder fluit op zijn vingers. "Wendolien!" roept hij.

Een vrouw kijkt om. 'Wat wilt u van mijn dochter?'

'Uw dochter?' herhaalt Pa Donder. 'Ik roep mijn hond, mevrouw.'

'U riep "Wendolien".'

'Ja, dat klopt. Ze heet Wendolien.'

'Uw hónd!?'

Wendolien komt naar buiten. Ze gaat bij haar moeder staan. 'Mama! Ik moest in de hoek staan, en dat kwam door hen!'

Jan en Dani proberen zo onschuldig mogelijk te kijken.

Pa Donder kijkt naar Jan. 'Wat heb je nou weer gedaan?' vraagt hij.

'Niks,' zeggen Jan en Dani tegelijk.

'Het raam waaide open,' gaat Dani verder.

'Ik deed het dicht en toen mocht ik met de triangel,' eindigt Jan.

'Maar Wendolien is toch helemaal geen hóndennaam!' roept Wendoliens moeder.

Pa Donder kijkt van de een naar de ander. 'Ik vond van wel,' zegt hij.

'Ze zijn nieuw in de klas,' zegt Wendolien. 'En ze zijn raar!'

'Nou nou, zo kan ie wel weer,' zegt Pa Donder sussend. Hij legt een arm om de schouders van Dani en Jan. 'Kom, we gaan naar huis, kinderen. De hond snuffelt zelf de weg terug wel.'

Hij duwt Dani en Jan voor zich uit het schoolplein over.

In de bosjes vechten twee honden om iets wat ze allebei willen hebben. Wendolien wint. Ze is het zwaarst en het sterkst. Grommend rent ze de bosjes uit, haar baasjes achterna.

In haar bek heeft ze de arm.

Wendolien ziet haar rennen.

'Kijk dan! Kijk dan!'roept ze.

Alle mensen op het schoolplein kijken geschrokken om.

Maar dan is de grote hond al om de hoek verdwenen.

Dani en Jan mogen de kleine etalage van de groentewinkel mooi maken van Pa Donder. Buiten rapen ze langs het water van de gracht kastanjes en boombladeren. Ze bedekken de bodem van de etalage ermee en zetten er mandjes op, gevuld met mandarijnen en champignons.

Mami komt naar beneden en kijkt naar een grote pompoen die op de toonbank ligt.

'Buurman?' vraagt ze aan pa Donder. 'Mag ik daar een gezicht in snijden? Dat heb ik nou altijd al eens willen doen. En dan kan hij ook in de etalage, met een kaarsje erin.'

'Daar had ik hem voor gekocht,' zegt Pa Donder. Hij glundert. 'Maar ik ben niet zo creatief, buurvrouw, dus ik ben blij als jij het voor me doet.'

Mami kucht. 'Zou jij dan... eh... misschien een paar lampen op willen hangen vanavond? Daar ben ik nou weer niet zo goed in.'

'Ja, natuurlijk. En misschien kun jij dan die scheur in Jan z'n bloes naaien, of heb je geen naaimachine?' vraagt Pa Donder verlegen.

'O, da's geen probleem, ik ben toch gordijnen aan het naaien,' roept Mami blij.

'Ik kook vanavond groentesoep. Lekker met stokbrood en kaas erbij,' zegt Pa Donder. 'Willen jullie soms mee-eten?'

'Ja!' roept Dani voor Mami kan antwoorden.

En Jan zegt: 'Ik help je na het eten met jouw kamertje, hoor Dani.'

De avondzon schijnt over de gracht. De deur van de groentewinkel staat open. Het is etenstijd en stil op straat. Binnen, in de keuken achter de winkel, zitten Jan en Dani en Pa en Mami Donder te eten. Ze hebben elkaar veel te vertellen, want ze kennen elkaar nog maar net.

Wendolien komt de winkel binnen. Ze heeft honger. Zou de baas haar eten al klaar hebben gezet? Waar moet ze die mooie stok nou laten?

Ze draait een paar keer rond met de arm in haar bek. Dan laat ze hem bij de toonbank vallen en duwt hem er met haar neus goed onder voor ze de keuken binnen gaat.

Een gaatje in de kast

Na het eten hangt Pa Donder boven de lampen op voor Mami. Jan helpt Dani op haar kamertje. Hij maakt de dozen met haar speelgoed open en Dani bergt het op in de grote, ingebouwde kast.

'Kom eens kijken, Jan,' zegt ze, als ze bijna klaar zijn. 'Wat is dat? Hagelslag?'

Ze wijst. Op een van de vloerplanken in de kast liggen kleine bruine dingetjes.

Jan gaat op zijn knieën zitten. Hij pakt zo'n bruin dingetje op. 'Muizenkeutels,' zegt hij beslist. 'Ben je bang voor muizen?'

Dani schudt haar hoofd. 'Ik geloof het niet.'

Ze komt naast Jan zitten. Er zit een gaatje in een van de vloerplanken. Dani buigt zich voorover en probeert erdoorheen te kijken. Maar ze ziet alleen maar donker.

'Zouden de muizen door dit gaatje zijn gekomen?' Jan steekt zijn vinger door het gat. 'Ik voel niks. Heb je iets om erdoorheen te gooien?'

Dani pakt een geel legosteentje uit haar legokist. Jan propt het door het gaatje. 'Tok!' horen ze even later, ver weg.

'Zou het nou bij ons beneden liggen?' Jan kijkt Dani aan.

'We gaan kijken, goed?' Dani staat al op en loopt naar de gang. Ze ziet Pa Donder op de keukentafel staan. Mami houdt zijn been vast en kijkt angstig naar hem op. 'Voorzichtig hoor, buurman,' zegt ze.

'We gaan het kaarsje in de pompoen aansteken,' roept Jan.

De grote mensen geven geen antwoord.

Dani en Jan nemen de trap naar beneden, naar buiten. Jan maakt de deur van de winkel open met zijn sleutel. Ze kijken eerst in de keuken. Dan in de slaapkamer van Jan. Jan heeft bijna geen speelgoed. Zijn kamer ziet er erg kaal uit.

'Toen we de suikerspinnenkraam hadden, woonden we in een kleine caravan. Daar was geen plaats voor speelgoed,' zegt hij. 'En ik speelde toch altijd buiten, op de kermis.'

Hij trekt zijn grote kast open.

Op de middelste plank heeft Pa Donder zijn kleren neergelegd. Netjes opgevouwen. Verder is de kast leeg.

Of toch niet helemaal. Op de grond ligt nog iets.

Een klein, geel legosteentje.

Ze kijken omhoog. Een lichtstraaltje schijnt door een rond gaatje in het houten plafond van de kast. En dat klopt, want boven heeft Dani de deur van haar kast open laten staan.

Jan steekt het kaarsje in de pompoen aan. Mami heeft de pompoen uitgehold. Ze heeft er een grote grijns vol scherpe tanden in uitgesneden, en driehoekjes als ogen.

Ze lopen alle vier naar buiten en kijken naar de etalage. De mandarijntjes glimmen feestelijk in de mandjes tussen de herfstbladeren. Het lichtje in de pompoen flakkert. De winkel ziet er prachtig uit.

'Morgen ga ik open,' zegt Pa Donder, en hij zucht.

'Morgen moet ik naar mijn nieuwe werk,' zegt Mami Donder, en ze zucht.

'Mag Jan bij mij slapen?' probeert Dani.

'Nee,' zeggen Pa Donder en Mami tegelijk. 'Niks daarvan.'

En ze duwen Jan en Dani terug naar de trap en de winkel.

'Kinderbedtijd,' zeggen ze. En: 'Morgen is er weer een dag. Handen wassen. Tanden poetsen. Pyjama aan. Dag buurvrouw. Dag buurman. Tot morgen.'

Gezond en lekker

Als Jan zijn ontbijt-boterham op heeft, schilt Pa Donder een appeltje voor hem.

'Hij is beurs.' Jan wijst.

'Niet zeuren. D'r zal in de winkel wel es meer wat vallen of overblijven, en dat eten we gewoon op. Groente en fruit zijn gezond en als er een plekkie an zit, dan snijen we dat er gewoon af.'

Pa Donder snijdt de bruine plek van de appel af en geeft hem aan Jan.

Jan neemt een grote hap. 'D'r lagen muizenkeutels in Dani's kast,' vertelt hij met volle mond.

'Nee toch!' Pa Donder kijkt geschrokken. 'Als ze boven zitten, zitten ze hier ook, Jan. En dat kunnen we niet hebben in een groentewinkel.'

'Wat moeten we dan doen?' vraagt Jan. 'Vallen zetten? Gif strooien? Dat is hartstikke zielig voor die muizen.'

Pa Donder denkt na en schilt intussen een appeltje voor zichzelf.

'Een kat,' zegt hij dan. 'We moeten een kat uit het asiel halen. Dan blijven die muizen wel weg.'

'En Wendolien dan?' vraagt Jan.

Wendolien ligt in haar mand. Het lijkt alsof ze slaapt maar als Jan haar naam noemt, spitst ze haar oren en gaat er één hondenoog open.

'Poessies!' zegt Jan.

Wendolien komt overeind. Ze kijkt om zich heen. 'woef! wroef!'

'Maak dat beest nou niet gek,' zegt Pa Donder. 'Braaf, Wendolien! Lig! Ga maar weer maffen.'

'Mag ik mee een kat uitzoeken?' vraagt Jan.

'Tuurlijk.' Pa Donder knikt. 'We gaan vanmiddag meteen.'

'Mag Dani ook mee?'

'Als ze mag van de buurvrouw, vind ik 't best.'

'O, en ik moet iets meenemen voor in de pauze. Drinken en iets lekkers.'

'Iets lekkers?' Pa Donder staat op. Hij loopt de winkel in en komt terug met een schoongewassen winterpeen.

'Gezond en lekker,' zegt hij. 'Dan kan die juf van jou meteen zien hoe goed jij wordt opgevoed.'

'Mag ik er ook een voor Dani?' vraagt Jan. 'Dan kan zij ook laten zien dat ze goed wordt opgevoed.'

Dani en Jan rennen om de school heen. Ze zijn vroeg, er zijn nog maar weinig kinderen op het schoolplein.

Ze zoeken in de bosjes, maar de arm ligt er niet.

Dani kijkt omhoog. 'We zoeken toch onder het goede raam?' vraagt ze.

Jan wijst. 'Ja, kijk maar, dat plantje staat naast jou op de vensterbank.'

Ze snappen het niet. Hoe kan de arm weg zijn?

Als ze hebben gerekend en getekend, kondigt juf Sybille aan dat het tijd is om even te pauzeren. 'Jullie hebben goed gewerkt,' zegt ze tevreden. 'Pak allemaal je eten en drinken maar.'

De kinderen halen hun spulletjes uit een kratje bij de deur.

Jan loopt de gang op en pakt de twee winterpenen uit zijn

jaszak. Hij laat ze aan juf Sybille zien. 'Een voor mij, en een voor Dani, juf!' zegt hij.

Juf Sybille is verrast. Ze klapt in haar handen. 'Kinderen, kijk allemaal eens wat Jan bij zich heeft,' roept ze. 'Dat is pas stoer! Goed voor je gebit en vol vitaminen. Goed zo, Jan! Goed zo, Dani!'

De andere kinderen hebben koek bij zich in een ritselverpakking. Ze kijken vol afschuw naar Jans winterpeen en happen dan gauw in hun eigen zoete koekjes.

'KRAAK! KRAK! KROENSJ, kroensj, kroensj!' Jan eet.
'KRAAK, krak, kroensj!' Dani eet.
Juf Sybille gaat rond met de prullenbak. De kinderen hebben hun koekjes op en hun pakjes drinken leeg. Alleen Jan en Dani hebben pas twee happen op. Ze kauwen en knagen tot ze er kramp van in hun kaken krijgen.
Juf Sybille glimlacht nog steeds, maar haar gezicht wordt er stijf van. Ze probeert boven het lawaai uit te komen.
'We gaan verder met de les,' zegt ze. 'Wie kan mij een voorbeeld geven van een vervoermiddel?'
Een jongen steekt zijn vinger op.
'Een bus, juf?'
KRAAK! KRAK! KROENSJ!
'Wat zeg je, Kareltje?' roept juf Sybille.
'Een bus.'
'Ik versta je niet.
'Een bus!'
KRAAK! KRAK! KROE...
Juf Sybille wijst naar de prullenbak. 'Zo is het wel genoeg!' zegt ze kribbig. 'Weg met die dingen!'
Jan en Dani kijken elkaar verschrikt aan. Ze staan op en lopen met hun winterpeen naar de prullenbak.
'KEDOING!' Jan laat zijn winterpeen erin vallen.
'BOIIING!' Dani laat haar winterpeen erin vallen.
De kinderen giechelen. Juf Sybille schudt haar hoofd.
Kareltje wil nog steeds graag antwoord geven. 'EEN BUS!' schreeuwt hij.
Juf Sybille brengt haar handen naar haar oren. 'Schreeuw niet zo, mafkees! Ik ben niet doof!' snauwt ze.

Tarzan, pak stok!

Dani en Jan staan op het ronde bruggetje. Ze turen over het water naar de groentewinkel. Er staan kisten appels buiten om klanten te lokken. Pa Donder is aan het werk.

'Die winterpeen vanochtend was niet gewóón,' zegt Dani.

'Nee, ik geloof het ook niet,' geeft Jan toe.

Dani zucht. Jan zucht.

Dan licht zijn gezicht op. 'We gaan vanavond een kat halen uit het asiel!' roept hij. 'En jij mag mee!'

Dani is meteen haar nieuwe klas en juf Sybille vergeten. Ze rennen het bruggetje af, de winkel binnen.

Pa Donder laat net een klant uit. 'Tot ziens, mevrouw. En succes met de bonensoep,' zegt hij.

'Dag meneer Donder,' groet de vrouw. Ze loopt langs Dani en Jan met een volle boodschappenmand.

'Hallo Pa!' roept Jan.

'Is het alweer zo laat?' Pa Donder kijkt op de klok die boven de deur naar de keuken hangt. 'Moet jij niet eerst even naar je moeder, Dani?'

'Ze is aan het werk,' zegt Dani. Ze laat Pa Donder de sleutel zien die ze onder haar trui aan een veter om haar nek heeft hangen.

'Nou, kom dan bij ons in de keuken maar een koppie warme chocolademelk drinken,' zegt Pa Donder.

Als de chocolademelk op is, zegt Pa Donder: 'Laten jullie Wendolien even uit, dan kunnen we die kat straks meteen na het

eten halen. Je moet hier de gracht af lopen en dan oversteken,
dan kom je bij een park. Daar is een hondenveld waar ze los
mag rennen.'

'Wroef!' Wendolien heeft haar naam gehoord en het woord
'uit'. Ze springt op en begint wild te kwispelen.

Jan maakt de riem aan haar halsband vast. Wendolien sleurt
hem mee, de winkel uit, de gracht op. Dani holt erachteraan.

In het park maakt Jan de riem los. Wendolien springt uitge-
laten over het veld, als een kalf dat voor het eerst in de wei mag.
Dan hurkt ze om op haar gemak een grote drol te draaien.

'Dat is de grootste hond die ik ooit heb gezien.'

Dani en Jan kijken om. Daar staat Kareltje. Hij heeft een
hondje bij zich. Een tekkel.

Dani bukt zich. 'Ach, wat een lieverd.' Ze aait het hondje.
'Hoe heet hij?'

'Tarzan!' zegt Kareltje trots. Hij pakt een takje dat op het
gras ligt en gooit het zo ver hij kan. 'Tarzan! Pak stok!'

Het tekkeltje schiet weg als een voetzoeker. Zijn korte poot-
jes doen hun best. Hap! Hij heeft het takje.

'Goed zo!' prijst Kareltje hem als hij het takje aan zijn voeten

komt leggen. Dan zegt hij tegen Jan: 'Je mag je hond hier wel uitlaten, maar je moet de drol oprapen met zo'n zakje.' Met zijn hoofd wijst hij naar een prullenbak waar een rol plastic zakjes aan hangt.

Jan wordt bleek. Dani ziet het. 'Bij ons in Rotterdam hoefde dat niet,' jokt ze.

'Onderweg met de kermis ook niet,' zegt Jan.

'Nou, hier moet het wél,' houdt Kareltje vol.

'Hoe moet dat, dat oprapen?' doet Dani onnozel.

Jan buigt zijn hoofd en kijkt naar de grond. 'Wil jij het voordoen, Karel?' vraagt hij dommig. 'Alsjeblieft?'

Ze lopen naar het midden van het veld. Daar kijkt Kareltje van de enorme, dampende drol naar het zakje dat hij heeft gepakt.

'Tarzan maakt altijd kleine droge drolletjes,' zegt hij benauwd.

'Het is echt fijn dat jij het voor wil doen, Karel,' vleit Dani.

Kareltje trekt het zakje over zijn hand. Hij bukt zich en pakt met het zakje een grote hap poep. Hij schraapt de restjes uit het gras. Dan draait hij het zakje binnenstebuiten zodat alles erin zit.

'Kijk, zo blijven je handen schoon.' Hij laat het zien.

Jan ziet eruit alsof hij gaat overgeven. 'Zo,' zegt hij schor. 'Wat kan jij dat goed, zeg.'

Wendolien, pak.... eh... arm!

Kareltje is aardig. En Tarzan is een leuk hondje. Hij brengt braaf de takjes terug die ze weggooien. Wendolien wil ook meedoen, maar in haar grote muil breken alle takjes doormidden.

Jan en Dani moeten lachen. 'Ga een dikke stok zoeken, Wendolien!' roept Jan. Hij wijst naar de struiken.

Wendolien draaft ernaartoe. Ze snuffelt en zoekt. Er ligt van alles. Maar geen lekkere grote, zware tak. Jaloers kijkt ze naar Tarzan, die heen en weer rent en telkens wordt geaaid. Het is niet eerlijk! Maar wacht eens even, thuis heeft ze immers nog die mooie grote stok...

Wendolien draaft het park uit, de gracht op. De deur van de groentewinkel staat open. Pa Donder is koffie aan het zetten in de keuken en er zijn geen klanten.

Wendolien wroet met haar snuit onder de toonbank. Haar achterste steekt omhoog. Grrr.... Haar staart begint te kwispelen. Hap!

Zo. Dat is tenminste een stevige stok. Beter dan zo'n miezerig takje! En blij draaft ze weer naar buiten, terug naar het park.

Kareltje moest naar huis. Dani en Jan kijken zoekend rond. Waar is Wendolien gebleven?

Jan fluit op zijn vingers.

'Wendolie-ie-ientje!' roept Dani.

Aan de rand van het veldje klinkt geritsel in de struiken.

Wendolien komt tevoorschijn. Kwispelend rent ze naar Dani en Jan met haar mooie stok.

'Kijk nou eens!' roept Jan. 'De arm!'

Wendolien laat hem aan Jans voeten vallen. 'Wrrroef!'

Dani slaat haar hand voor haar mond. 'Oei! Nu begrijp ik waarom Wendolien "Kijk dan!" krijste op het schoolplein!' zegt ze.

Jan raapt de arm op. 'Ze zag ónze Wendolien ermee wegrennen!'

Ze kijken om zich heen. Ze zien niemand meer. Het is al schemerig. De meeste mensen zijn naar huis gegaan.

'Wrrroef! Wrrroef!'

Jan gooit de arm een stuk weg. Wendolien gaat er met grote sprongen achteraan. Ze kijken haar na.

'Eigenlijk was ik wel opgelucht dat we hem kwijt waren,' zegt Dani eerlijk.

'Ik ook,' zegt Jan. 'Ik dacht, we kunnen wel iets leuks doen met die arm, maar dat was geloof ik toch niet zo'n goed idee.'

Wendolien is alweer terug.

'Goed zo!' Ze aaien haar. 'Nog één keer, Wendolien!'

Jan slingert de arm met al zijn kracht naar de andere kant van het veld. Wendolien schiet er achteraan, dwars door de struiken.

'AU! Donders! Wat krijgen we nou?' schreeuwt een geschrokken mannenstem. 'Welke gek gooit hier met... EEN ARM?'

Dani en Jan kijken elkaar aan. Ze rennen weg naar een dikke dennenboom aan de rand van het veld en duiken tussen de takken.

'Wendolien!' hijgt Dani.

Jan buigt een tak opzij. Ze gluren erlangs.

Een grote woedende man is uit de struiken tevoorschijn gekomen. Hij zwaait met de arm en kijkt wild om zich heen.

'Van wie is die arm?'

Wendolien is geschrokken. Ze is bang dat de man haar wil slaan met haar mooie stok. Ze snuffelt aan het gras. Waar is haar baasje gebleven? O... snuf snuf, die kant op.

'Ze komt hierheen!' zegt Jan geschrokken.

'Ze verraadt ons!' fluistert Dani.

'Maar ze weet niet beter,' zegt Jan gauw. 'Ze bedoelt het goed.'

Ja, dat weet Dani ook wel. Maar intussen snuffelt Wendolien recht op de dennenboom af en de man loopt haar achterna.

'Breng me maar bij je baasje,' praat hij. 'Goed zo. Braaf hondje. Héél braaf!'

Kom tevoorschijn als je durft

De man pookt met de arm tussen de takken van de dennenboom. 'Kom tevoorschijn, als je durft!' dreigt hij.

Jan en Dani kruipen tussen de takken uit.

'Waarom gooien jullie een arm op mijn kop als ik hier een
beetje een frisse neus loop te halen en niemand kwaad doe?'
vraagt de man. Hij port Jan met de hand van de arm tussen
zijn ribben.

Jan doet een stapje achteruit.

'Het ging per ongeluk,' legt hij uit. 'We zochten een stok om
te gooien en toen kwam mijn hond aan met die arm. Ze wou
echt graag spelen dus toen gooide ik hem maar.'

'Eerlijk?' vraagt de man grinnikend.

Jan en Dani knikken. De man laat de arm zakken. Hij kijkt
niet boos meer en steekt hem uit naar Jan. Die pakt het mod-
derige ding van hem aan.

'Effe wassen, een beetje deodorant, nagellak en wat handcrème, en dan de rest van deze dame nog zoeken...' zegt de man.

Dani en Jan lachen opgelucht.

'We moeten naar huis,' zegt Dani.

'Ja,' zegt Jan. 'We moeten eten.'

De man blijft staan kijken als ze weglopen.

Als ze bijna van het veld af zijn roept hij nog: 'Gooi dat ding maar liever weg. Want zo'n losse arm, daar komt alleen maar narigheid van.'

Mami is thuis, in het bovenhuis brandt licht. Pa Donder is in de keuken. Het is al zes uur geweest. De winkel is gesloten en het is al bijna helemaal donker buiten.

'Wat moeten we nou met die arm?' vraagt Dani.

Ze kijken rond. Er staat nergens een vuilnisbak.

Ze kijken in de winkel.

'Tussen de aardappels stoppen?' bedenkt Jan.

'Als je vader hem dan ziet, krijgt hij misschien wel last van zijn hart,' zegt Dani somber.

'In de gracht gooien?' Jan kijkt naar het donkere water.

Dani aarzelt. 'Dat is vervuiling!'

'Ik gooi nooit iets op straat en ik heb vandaag ook al een drol opgeruimd,' zegt Jan. 'En op de kermis hielp ik altijd met opvegen van de rotzooi. Het is alleen maar voor één keer. Omdat ik niks anders kan bedenken.'

'Jij hebt Káreltje die drol laten opruimen, viesneus!' Dani knikt naar het water. 'Als we dat ding maar kwijt zijn,' stemt ze toe.

Jan loopt naar de waterkant.

Ploemp! De arm verdwijnt in het donkere water. Ze kijken

naar de kringen die groter en groter worden.

Boven schuift Mami het raam open. 'Ben jij daar, Dani?

Wil je meteen bovenkomen! Het is al over zessen en ik heb me ongerust gemaakt.'

Dani draait zich om. 'Ik kom, mam!'

Pa Donder komt aanlopen door de winkel. 'Jan! We gaan eten!' roept hij.

Eten. Dat woord kent Wendolien. Ze holt Pa Donder bijna omver om bij haar etensbak te komen.

'Hij zal toch wel op de bodem blijven liggen?' fluistert Dani bezorgd.

'Ik hoop het wel,' fluistert Jan terug.

Zwart als de nacht

Na het eten wandelen ze naar het asiel. Het is niet ver weg.

Pa Donder kiest een venijnige, pikzwarte kater met scherpe nagels, een mooie glanzende vacht en heldergroene ogen.

Er zijn ook lieve kleine poesjes, maar die wil hij niet.

'We zoeken geen knuffeldier. We zoeken een muizenverslindend monster!' zegt hij tegen Jan en Dani.

'Ik weet een mooie naam voor hem,' zegt Dani als ze thuiskomen met de kat. 'Nacht.'

Pa Donder zet de doos met de poes erin op de keukentafel. Voorzichtig vouwt hij de doos open. De kat steekt zijn kop door de opening. Dan komt de rest van zijn lijf erachteraan.

'Poessie, poessie,' lokt Jan. Hij laat het beest aan zijn hand ruiken.

'Dag Nacht, dag lieve Nacht,' kirt Dani met een hoog stemmetje.

'Mwrrrauw!' doet de kater en hij laat zich aaien door Dani en Jan.

Wendolien is wakker geworden en ruikt de kat. Ze komt uit haar mand. 'WROEF! WROEF!' Als ze de kat op tafel ziet, springt ze op en legt haar voorpoten op de keukentafel.

Pets! doet de kat. 'Mrrrauw!'

'Iew iew!' Wendolien zakt jankend terug op de grond en likt over haar arme gekrabde neus.

De kater springt van de tafel. Hij loopt naar de honden-mand. Parmantig stapt hij over de rand. Hij draait een paar keer om zichzelf heen en gaat dan liggen. Hij zucht en doet zijn ogen dicht.

'Muissies!' probeert Jan. 'Muissies in de winkel! Ga ze dan vangen!'

Maar de kat beweegt geen snorhaartje meer.

Pa Donder ziet het hoofdschuddend aan. 'Luie lummel,' scheldt hij en hij dreigt: 'Denk erom, geen muizen – geen vreten!'

Wendolien komt jankend haar snuit in zijn hand duwen. Pa Donder krabbelt haar liefkozend achter haar oren. 'Laat die poes maar met rust, meissie,' zegt hij tegen haar. 'Wees jij maar verstandig.'

'Waar moet Wendolien nu liggen? Nu ligt Nacht in haar mand!' zegt Dani verontwaardigd. 'Zal ik hem eruit jagen?'

'Mensen moeten zich niet bemoeien met dierenzaken, Dani,' zegt Pa Donder. 'Dat lijkt misschien niet aardig en ik begrijp best dat je het zielig vindt voor Wendolien. Maar één van die twee zal de baas moeten zijn. En ze moeten zelf uit-vechten wie dat wordt.'

Bel de politie!

Jan slaapt. Boven, bij Dani en Mami is het ook stil. Pa Donder heeft zijn pyjama al aan als hij de winkel in loopt om af te sluiten voor de nacht. Nog even doet hij de deur open, om uit te kijken over de mooie gracht in het licht van de oude lantaarns.

'Mrrrauw!' Nacht glipt langs hem heen naar buiten.

'Hé!' roept pa Donder.

Er is niemand buiten. Hij stapt op zijn pantoffels over de drempel en loopt langzaam naar Nacht, die aan de rand van het water is gaan zitten.

'Poessie, poessie, kom terug naar binnen in je nieuwe huis,' lokt hij. 'Je moet vannacht op de winkel passen. Die zit vol lekkere sappige muisjes. Kom dan... poessie poes!'

Hij sluipt steeds dichter naar Nacht toe en hop... Hij graait hem van de rand van de gracht weg.

De kat slaat zijn nagels uit maar pa Donder houdt hem stevig vast. 'Au! Rotbeest! Je weet hier nog niet eens de weg...'

Zijn stem hapert. Wat ziet hij daar? Wat ligt daar in het water?

'O hemel!' mompelt hij. 'Nee toch! Wat erg! Wat verschrikkelijk.'

Met de kat tegen zich aan geklemd gaat hij naar binnen. Daar blijft hij besluiteloos tussen de bakken met groente staan. 'Wat moet ik doen?'

Hij denkt na. Dan zet hij Nacht in de keuken, loopt naar buiten en belt aan op nummer 38A.

Het duurt even voor er gestommel op de trap klinkt. Mami doet de deur open. Ze heeft een badjas aan over haar nachtpon en haar haren zitten in de war.

'Buurman! Wat is er aan de hand?' vraagt ze verschrikt.

'Buurvrouw, ssst, zachtjes! Maak de kinderen niet wakker. Er is iets ergs, iets heel ergs. Ze zouden er maar overstuur van raken.'

Pa Donder wenkt Mami. Ze loopt met hem mee naar de waterkant. Hij wijst.

Mami slaat haar handen voor haar mond. 'O, wat vreselijk!' jammert ze.

'Wat moeten we doen?' vraagt Pa Donder.

'Bel de politie!' zegt Mami.

Dani is wakker geworden van de bel. Ze gaat overeind zitten en kijkt rond in haar nieuwe kamertje. 'Mami?' roept ze zacht.

Mami geeft geen antwoord. Maar Dani hoort haar stem ergens. Buiten?

Ze loopt naar het raam en schuift haar gordijn een stukje

open. Mami staat beneden, samen met Pa Donder. Heel raar. Ze staan daar zomaar in hun nachtkleren.

In de verte flitst blauw licht. Het komt steeds dichterbij. O! Een politieauto. Wat is er gebeurd? Waarom staan ze daar?

Dani krijgt een naar gevoel in haar buik. Hebben pa Donder en Mami de politie gebeld? Omdat...? Omdat! O, nee toch!

Ze springt uit bed en rukt haar kastdeur open. Ze laat zich op haar knieën vallen en brengt haar mond naar het gaatje in de vloer.

'Jan! Jan! Wakker worden!'

Jan was al half wakker door het gepraat voor de deur. En nu roept er weer iemand zijn naam... Dani?

Dani roept hem!

Hij gaat overeind zitten en kijkt zijn donkere kamertje rond. 'Dani?'

'Jan! Doe je kastdeur open, ik ben boven! Ze hebben de politie gebeld. Ze hebben hem gevonden...'

Jan maakt de deur open. Hij kijkt naar boven. Een beetje licht komt door het gaatje.

'Wie hebben wat gevonden?' vraagt hij verward.

'Je vader en mijn moeder! De arm!'

Jans kamertje is plotseling vol van een blauw licht dat over de muren zwaait, verdwijnt en weer terugzwaait. Buiten hoort hij het geluid van autodeuren en dan een zware stem: 'U heeft gebeld? Bent u degene die melding heeft gemaakt van "iets vreselijks" in de gracht.'

'Ja, wij hebben gebeld, meneer,' klinkt Mami's stem bibberig.

'En wat mag dat vreselijks dan wel wezen?' vraagt de stem van de politieman weer.

'Kijkt u zelf maar.' Dat is Pa Donder. 'Dáár! In het water.'

Onschuldig als een pasgeboren lammetje

Jan glipt op handen en knieën achter de spruiten en de prei langs. Hij wil naar Dani.

Hij gluurt om het hoekje. Pa Donder en Mami staan nog met de politieagent te praten. Snel kruipt hij verder, achter de aardappels. Daar wacht hij weer.

Buiten praat de agent nu in een mobiele telefoon. 'De duikbrigade, ja,' zegt hij. 'Botermarkt 38. Wij zijn al ter plaatse.'

Jan komt overeind. Hij stapt naar buiten, holt langs de winkel en duwt de deur van het bovenhuis verder open. Dani staat op de trap op hem te wachten.

'In Mami's slaapkamer kunnen we alles goed zien,' fluistert ze.

Ze sluipen naar boven.

'Er komen duikers,' zegt Jan.

'Moeten we het zeggen?' vraagt Dani.

'Wat?'

'Je weet best wat.'

'Als we zeggen dat wij die arm in het water hebben gegooid, krijgen Pa en Mami de schuld,' zegt Jan. 'Zij zijn onze ouders.'

'Maar ze kunnen toch niet helpen wat wij hebben gedaan!'

'Maakt niet uit. Dan zeggen ze: "U had beter op uw kind moeten letten" en dan krijgen ze toch nog de schuld,' zegt Jan treurig.

De duikers arriveren in een speciale brandweerauto. Ze hebben hun duikpakken al aan. De eerste duiker gaat netjes van het kadetrapje af en voorzichtig het donkere water in. Hij zwemt. De politieagent wijst in het water.

Dani en Jan hebben Mami's dekbed om hun schouders geslagen. Ze zitten op de vensterbank en bijna met hun neus tegen het raam om alles maar goed te kunnen zien.

De tweede duiker loopt naar het trapje. Hij stapt net het water in als er een kreet klinkt.

De eerste duiker steekt iets omhoog. De agent hurkt aan de waterkant, bukt zich diep voorover en pakt het aan.

De tweede duiker klimt het trapje weer op. Hij loopt naar de agent, die overeind komt en beteuterd naar de arm kijkt.

Mami en Pa Donder komen dichterbij en kijken mee, stomverbaasd.

'Nou moe,' zegt de duiker. 'Een neparm! Hoe komt die nou in het water?'

'Heeft u kinderen?' vraagt de agent.

'Ik heb een zoontje,' geeft Pa Donder toe.

'Ik heb een dochtertje,' fluistert Mami.

Jan glipt de winkel binnen. Hij moet terug naar bed, voordat Pa Donder hem mist.

De agent staat in de keuken bij Pa Donder en Mami. Met ingehouden adem blijft Jan op zijn hurken achter de toonbank zitten.

'Misschien was het een kwajongensstreek. Kan het zijn dat uw kinderen hierachter zitten?'

Pa Donder en Mami kijken elkaar geschrokken aan.

'Ik bedoel maar,' gaat de agent verder. 'Heeft u het soort kinderen dat kwajongensstreken uithaalt om mensen te laten schrikken?'

'Nou, ik weet zeker dat mijn Jan niemand wil laten schrikken,' stamelt Pa Donder.

'Eh... mijn Dani is geen kwajongen,' stottert Mami.

'O?' zegt de agent.

Pa Donder gaat rechtop staan. 'Mijn Jan is een heel gewone jongen. Hij ligt lekker te slapen en hij weet hier niks van!' zegt hij bars.

Jan glipt onder de tafel.

Wendolien ziet hem. Haar oren gaan omhoog. Ze kijkt hem aan.

Jan legt zijn wijsvinger tegen zijn lippen. Ssst!

'Mijn Dani is een heel gewoon meisje,' zegt Mami met nadruk. 'Heel gewóón! En zij ligt ook lekker te slapen.'

'Zo,' zegt de agent.

'Gelooft u ons soms niet? Dan komt u zelf maar kijken,' zegt Pa Donder verontwaardigd.

Wendolien houdt haar kop scheef. Wat zit die Jan daar raar onder de tafel. Zou hij willen spelen? Vragend beweegt ze haar oren en haar wenkbrauwen. Spelen, baasje? lijkt ze te vragen.

Jan ziet het. 'Pak stok!' fluistert hij wanhopig en hij zwaait met zijn arm alsof hij iets weggooit.

'WRRROEF WRRROEF!'

Wendolien schiet als een speer onder de tafel door en stormt pardoes de verschrikte politieagent omver.

'Ho! O, o!' gilt Mami.

'Wendolien! Koest! Lig! Dood! Braaf!' brult Pa Donder.

'Sta of ik schiet!' schreeuwt de agent die zo gauw niet weet waarom hij ineens op de grond ligt.

Jan kruipt onder de tafel uit, zijn kamertje in en meteen verder onder zijn dekbed.

'Dankjewel, Wendolien,' mompelt hij. 'Morgen krijg je een lekker koekje van me. Beloofd!'

'Komt u maar kijken,' zegt Pa Donder.

Voetstappen in het gangetje. De deur van Jans kamer gaat open.

'Hij slaapt, de lieverd. Hoor hem maar rustig ademhalen,' zegt Mami.

'Zo onschuldig als een pasgeboren lammetje,' valt Pa Donder haar bij.

'Tja, hm. Dan ga ik maar,' mompelt de agent.

Iets heel engs

Nacht ligt opgekruld in Wendoliens mand.

Wendolien ligt in de luie stoel van Pa Donder en snurkt.

Pa Donder komt de keuken in. Hij krabt in zijn borsthaar en rekt zich uit. 'Goeiemorgen, Wendolien. Goeiemorgen, Nacht,' zegt hij geeuwend.

Dan ziet hij de arm. Die ligt nog op tafel. De agent heeft hem er laten liggen.

Pa Donder kijkt er naar. De arm is mooi schoon geworden in de gracht. Hij begint te grinniken. Hij pakt hem en sluipt naar Jans kamertje.

Jan ligt heerlijk te slapen. Pa Donder tilt het dekbed op met de hand van de arm. Langzaam steekt hij het ding steeds verder onder het dekbed. De koude hand gaat onder Jans pyjamajasje...

'Aaaaaaa! Huuu!' Jan schiet overeind. Wild kijkt hij rond.

Pa Donder schatert. 'Wakker worden, jochie! Je moet naar school!'

Hij trekt de arm onder het dekbed vandaan! 'Kijk eens wat ik heb, Jan! Best een lollig ding, toch?!'

Jan vertelt Dani alles op weg naar school. 'Dus Wendolien heeft me gered en Pa gooit de arm weg.'

'Mooi, dan zijn we van dat rotding af,' zegt Dani.

Ze lopen over het bruggetje. In de verte zien ze het schoolplein al. De bak vol puin staat niet meer voor de deftige winkel. De stoep is er aangeveegd.

'En dan is alles weer gewoon,' zegt Jan.

'Ja, gewóón!' zegt Dani verlangend.

Op school zit Kareltje met zijn vinger omhoog. Hij wipt op en neer op zijn stoel en zwaait met zijn arm.

'Nou, jij wilt heel graag iets vertellen, zo te zien,' merkt juf Sybille op.

'Ja juf!' Kareltje knikt. 'Mijn oom zit bij de politie en vannacht kwam hij langs ons huis rijden want er lag iets heel engs in de gracht. U raadt nooit wat!'

'Iets heel engs?' herhaalt juf Sybille peinzend. 'Eh... een reuzensnoek?'

'Nee, fout!'

'Een... eh... onderwaterdraak? Een...' Juf Sybille laat haar stem dalen en fluistert spannend: 'Een... geraamte soms?'

'Nee, nee, juf. Een arm!' roept Kareltje.

Jan zucht. Hij kijkt naar het plafond.

Dani zucht. Ze kijkt uit het raam.

'Een arm?' herhaalt juf Sybille verbaasd.

'Een arm, hoe kan dat nou?' Alle kinderen praten door elkaar.

'Ja, en eerst dacht iedereen dat het een echte was maar het was er een van een etalagepop!' Kareltje geniet van de aandacht die hij krijgt. Hij knikt ijverig.

'Echt waar!' zegt hij.

In het speelkwartier staat Wendolien in de gang voor Dani's jas.

'Wil je even opzij gaan, dan kan ik mijn jas pakken,' vraagt Dani beleefd.

'Die arm was hier eerst in de klas. En daarna had die stomme hond hem. Jullie hebben er iets mee te maken!' fluistert Wen-

dolien venijnig. 'Ik wed dat júllie hem in het water hebben gegooid!'

Dani krijgt een rood hoofd. Ze weet niet wat ze moet zeggen.

Jan gelukkig wel. Hij zegt: 'Zeg Wendolien, wat heb je liever, katten- of hondenbrokjes?'

'Hè? Wat? Hoezo?' Wendolien is in de war gebracht.

'Nou, je hebt een hondennaam maar je bent een kattenkop, dus ik dacht, waar zou ze nou het meest van houden?' zegt Jan.

Dani proest.

Wendoliens gezicht vertrekt. 'Juf!' schreeuwt ze. 'Juf! Ze pesten me!'

Jan pakt Dani's hand. Ze rennen naar buiten. Kareltje staat bij de deur. 'Zullen we verstoppertje spelen?' stelt hij voor.

'Goed idee!' roept Dani. 'Jij bent hem, okee?'

Ze sleurt Jan mee, de hoek van de school om. Daar blijven ze hijgend staan.

Juf Sybille komt naar buiten met Wendolien.

Kareltje staat te tellen, netjes met zijn handen voor zijn ogen. Juf Sybille zegt iets tegen hem. Hij laat zijn handen even zakken om haar aan te kijken.

'Hoe kunnen ze Wendolien nou pesten als ze met mij verstoppertje aan het spelen zijn?' vraagt hij. Dani en Jan kunnen zijn heldere stem goed horen.

Juf Sybille weet het ook niet. Ze haalt haar schouders op en gaat naar binnen.

Wendolien knarst met haar tanden. Ze kijkt over haar schouder om te zien of juf Sybille echt wel weg is en geeft Kareltje dan een schop tegen zijn scheen.

'Jij doet ook al mee met die twee!' bijt ze hem toe.

'Au!' Kareltje grijpt zijn been en hinkt in het rond. 'Stom kind! Waar héb je het over?'

Hebbes!

Jan en Dani rennen over de gracht.

'We vragen aan pa of we zo'n nepmuis mogen kopen bij de dierenwinkel. Dan gaan we Nacht leren muizen jagen!' roept Jan.

'Zou Wendolien ook kunnen leren om muizen weg te jagen?' roept Dani terug.

Jan moet zo lachen dat hij niet verder kan hollen. 'Als die een muis ziet, kruipt ze jankend weg in haar mand!'

Dani krijgt er een kleur van. 'Nou ja, ik dacht het zomaar...' En dan begint ze zelf ook te grinniken.

Een meisje met lang blond haar is achter Jan en Dani aangerend. Het is Wendolien. Nu ze stilstaan, duikt ze achter een geparkeerde auto. Ze gluurt eromheen en ziet Jan en Dani de groentewinkel binnen gaan.

'Dus daar wonen ze,' mompelt ze. 'Mooi zo. En nou kijken of die arm nog ergens ligt.'

Pa Donder geeft Jan geld voor een nepmuis. Hij vindt het een goed idee. 'Die kat ligt daar maar een beetje te geeuwen en te rekken,' zegt hij. 'Die luie donder!'

Dani en Jan hollen terug over het bruggetje. Er is een dierenwinkel aan de overkant van de gracht.

Wendolien heeft geduldig achter de auto zitten wachten. Ze kijkt Jan en Dani na. Dan loopt ze naar de groentewinkel.

Pa Donder is bezig een fruitmand op te maken. Hij heeft stro onderin gedaan en een flesje lekker sap erop gelegd. Nu

zoekt hij mooie peren uit om erbij te leggen.

Wendolien duwt de deur open. Het belletje rinkelt. Pa Donder kijkt op.

'Goeiemiddag, jongedame,' zegt hij. 'Wat mag het zijn?'

'Eh... bananen,' zegt Wendolien. 'Een paar bananen.'

Pa Donder draait zich om en zoekt een mooi trosje bananen aan een van de haken die hoog achter hem aan een rek hangen.

Intussen kijkt Wendolien snel de winkel rond. Ze ziet van alles, maar geen arm.

Pa Donder draait zich om. 'Dit zijn mooie banaantjes,' zegt hij. Hij legt een tros voor Wendolien neer op de toonbank. 'Anders nog iets?'

'Ikke... ik ben vergeten geld mee te nemen. Ik kom straks wel weer terug,' zegt Wendolien snel. Ze loopt naar de deur en stapt naar buiten.

Pa Donder haalt zijn schouders op. Hij kijkt naar de tros bananen en legt ze in de fruitmand naast het flesje sap.

Langs de gracht staan verhuisdozen en groentekratten vol rommel naast de vuilnisbakken. Iemand die verhuist heeft veel weg te gooien.

Wendolien tilt met een vies gezicht het deksel van een van de vuilnisbakken op en gluurt eronder.

Jak! Blllg! Van alles maar geen arm.

Ze wil net onder het deksel van de tweede vuilnisbak kijken, als ze de stemmen van Jan en Dani over de gracht hoort klinken. Snel hurkt ze tussen de dozen.

Jan en Dani lopen over het bruggetje en komen dichterbij.

Wendolien schuifelt iets achteruit. Ai. Ze voelt iets, een hand. Een koude hand. Iemand zit aan haar billen! Wat gebeurt er?!

'Huuuuu!' jammert ze zacht.

Jan en Dani lopen langs haar heen en gaan de winkel binnen, lachend en pratend, zonder een moment haar kant uit te kijken.

Wendolien komt overeind en draait zich wild om. Ze sleurt iets mee met haar rokje...

Kedeng! De arm valt uit een doos en rolt op straat.

Wendolien hijgt van schrik. De arm! Ze heeft hem gevonden! Ze bukt zich en trekt hem uit de doos. Er kleven spruitenschillen aan een restje aardappelpuree. Getsie!

Maar haar ogen glinsteren triomfantelijk.

'Hebbes!' fluistert ze tegen zichzelf.

Binnen hoort ze de stemmen van Dani en Jan. 'Pak de muis, Nacht!' roepen ze. 'Pak!'

In de winkel strikt Pa Donder vol aandacht een lint om de fruitmand. Het puntje van zijn tong steekt uit zijn mond van inspanning.

Wendolien zakt op haar knieën langs de gracht. Ze spoelt de arm af in het water. Ze trekt haar eigen arm uit haar mouw omhoog en duwt de neparm erin. Nu kan ze hem binnen in haar jas vasthouden. En zo rent ze langs de winkel in de richting van de school.

Vuile viezerik!

'Neem vandaag maar twee van deze mooie rooie meisjes mee naar school,' zegt Pa Donder. Hij geeft Dani en Jan allebei een rood appeltje voor in de pauze. Dan wenkt hij Dani. 'Kom es kijken in de keuken,' zegt hij.

Nacht heeft de nepmuis in haar klauwen. Zijn ogen zijn smalle groene strepen en hij trekt het gemeenste smoel dat een kater maar hebben kan. 'Grrrr, mrrrraaau,' klinkt het diep in zijn keel. Hij knaagt aan de arme nepmuis. Het vachtje is nat van zijn speeksel.

Wendolien ligt zuchtend in de stoel van Pa Donder, en kijkt toe met één oog open en één oog dicht.

'Nu begrijpt Nacht wat je moet doen met een muis, en dat is precies op tijd.' Pa Donders gezicht versombert. 'Want...'

Hij loopt de winkel weer in en wijst in een mand walnoten. Er liggen muizenkeutels en sommige van de noten zijn aangevreten.

'O!' zegt Dani geschrokken.

Het is nog vroeg. Er is nog niemand op het schoolplein.
Of toch...
Wendolien sluipt langs de bosjes.
Het hoofd van de school zit al in haar kantoortje bij de voordeur. De fiets van juf Sybille staat onder het raam bij de trap naar de deur.
Wendolien kruipt op haar knieën onder het raam van het kantoortje door en sluipt de school in. Het gaat onhandig, want

ze heeft de arm onder haar jas. Eenmaal in de gang luistert ze met ingehouden adem aan de deur van het koffiekamertje.

'Ja lekker, met één klontje graag,' hoort ze juf Sybille zeggen.

Ze rent de trap op, de gang door, de klas in. Waar zal ze de arm stoppen? In het kastje van Jan of in het kastje van Dani?

Dani! Want stiekem vindt Wendolien Jans krullen en zijn brutale zwarte ogen erg leuk. Maar die Dani vindt ze gewoon een rotmeid. Als die er niet was zou Jan háár misschien ook wel leuk vinden...

Ze propt de arm in Dani's kastje. Hij steekt er een heel eind uit.

Buiten voor de school klinken stemmen. Er komen twee moeders aanfietsen met kleuters achterop.

Wendolien holt de klas uit, de gang door, en de trap af. Oe! Bijna botst ze met haar neus tegen de deur van de koffiekamer die net opengaat.

Juf Sybille komt de gang in met een beker thee in haar hand.

'Ik ga het licht vast aandoen en sommen op het bord schrijven,' zegt ze over haar schouder.

Wendolien draait zich om en holt terug de trap op.

Boven kijkt ze in paniek om zich heen. Achter zich hoort ze de hakjes van juf Sybille al op de traptreden...

De wc!

De jongens-wc's zijn dichtbij, de meisjes-wc's zijn aan de andere kant van de gang.

Wendolien rukt de deur van de jongens-wc's open en glipt tussen twee wastafels. Maar er zit een raam in de deur. Nu kan juf Sybille haar nog zien!

Ze rukt een wc-deur open, springt naar binnen en trekt de deur weer dicht.

'Hé, au! Deze wc is bezet! Rot op!'

Er zit iemand op de wc. Het stinkt! Wendolien struikelt over zijn voeten en tuimelt op zijn schoot.

'Au! Ga weg! Doe normaal!'

Het geluid van hakjes trippelt voorbij de wc en klinkt steeds verder weg.

Wendolien krabbelt overeind en kijkt in het knalrode gezicht van Kareltje.

'Vuile viezerik!' sist ze.

Ze smijt de deur open en stapt het gangetje in.

'Maar daar is de wc toch voor?' roept Kareltje.

'Je moet de deur op slot doen, smeerlap!' snauwt Wendolien.

'Maar er was nog helemaal niemand op school,' werpt Kareltje tegen. 'En ik moest zo nodig en...'

Wendolien stapt de gang in en knalt de deur zo hard dicht dat het glas rammelt.

'Ieieieie!' jammert ze terwijl ze de trap af rent. 'Jak! Jak! JAK!'

Attentie!

Dani en Jan staan bij de kinderen van hun klas op het schoolplein.

'Hadden jullie echt een suikerspinnenkraam?' vraagt een meisje aan Jan.

Jan knikt. 'We reisden met een kermis mee.'

'Maar ging je dan nooit naar school?' vraagt Kareltje.

'O ja, een paar dagen hier en een paar dagen daar. Dat was niet zo leuk. Als ik de kinderen een beetje leerde kennen, moest ik alweer weg.'

Er komt een jongen aanrennen. 'We doen tikkertje!' schreeuwt hij. Hij tikt Dani op haar schouder. 'Jij bent 'm!'

Het groepje kinderen stuift uit elkaar. Dani zet de achtervolging in. Gelukkig kan ze hard rennen.

Als de bel gaat, loopt ze samen met Jan naar binnen.

'Leuk, tikkertje!' zegt ze. 'Gewoon op het plein spelen met de andere kinderen. Geen arm meer om ons zorgen over te maken.'

Jan knikt. 'Hier is het fijn op school. De kinderen zijn aardig,' zegt hij. 'En juf Sybille ook. En Karel is al een vriendje van ons.'

'Alleen Wendolien haat ons,' bedenkt Dani.

Jan haalt zijn schouders op. 'Nou ja. Je kan niet alles hebben.'

Dani ziet de arm uit haar kastje steken zodra ze de klas in loopt. Van schrik staat ze stil zodat er een paar kinderen tegen haar op botsen. Haar gezicht trekt bleek weg.

'Wat is er?' vraagt Kareltje, die naast haar loopt.

'De arm!' piept Dani. Ze kijkt de klas rond. Wendolien zit al achter haar tafeltje met haar armen braaf over elkaar en een gemene grijns op haar gezicht. Als Dani naar haar kijkt, steekt ze haar tong uit.

Kareltje loopt naar Dani's kastje. 'Hé!' zegt hij. 'Bedoel je deze?'

Hij trekt de arm tevoorschijn.

'Kijk juf!' roept hij. 'Nog een arm! Er lag er al een in de gracht en nu zit er ook een in Dani's kastje!'

'En mijn vader kreeg er een op zijn kop toen hij door het park wandelde,' roept een meisje.

'En mijn oma vertelde dat ze een grote hond heeft zien rennen met een arm in zijn bek!' roept een jongen.

Iedereen begint door elkaar te praten. 'Hoe kan dat nou, al die armen in de stad? Wie heeft die er toch heen gebracht?'

Juf Sybille loopt naar Kareltje. Ze pakt de arm van hem af en bekijkt die aandachtig.

'BENG! KLABANG!' Ze mept met de arm op haar bureau. Zo! Dat is nog eens wat anders dan een pets van haar liniaal.

Verschrikt houden alle kinderen op met praten.

'Zitten!' commandeert juf Sybille. 'Monden dicht. Attentie!' Ze loopt tussen de tafeltjes door en prikt met de hand van de arm tussen de ribben van een paar kinderen die niet snel genoeg zijn.

Als iedereen zit gaat ze terug naar haar bureau.

'Deze arm bevalt mij wel,' zegt ze met een lieve, zachte, maar dreigende stem. 'Ik kan jullie ermee prikken...'

Ze prikt Jan met de hand tussen zijn ribben.

Jan schiet overeind. 'Au!'

'Ik kan ermee op mijn bureau meppen!' KLADANG!

De klas duikt in elkaar.

'Ik kan ermee achter mijn oor krabben.'

De klas gluurt naar juf Sybille. Inderdaad, ze kan het.

Juf Sybille zwijgt. Niemand durft nog iets te zeggen. Dani schuift ongelukkig heen en weer op haar stoel. Die stomme rotarm!

'MAAR WAT DOET DIE ARM HIER IN DE KLAS?' buldert juf Sybille opeens. 'En in jouw kastje?!'

Ze buigt zich voorover en stoot Dani met de koude hand tegen haar kin. Pok, pok, pok.

Dani trekt haar hoofd weg. 'Ik weet niet, juf.' Haar stem bibbert.

Jan staat op. Hij duwt de arm opzij, weg van Dani's kin. 'Het is mijn schuld,' zegt hij. 'Maar ik kan het uitleggen.' Alle kinderen draaien zich naar Jan.

Juf Sybille trekt de arm terug. Ze gaat achter haar bureau zitten en vouwt haar armen over haar borst, langzaam en nadrukkelijk als een toneelspeelster.

'Ik luister,' zegt ze. 'Ik ben benieuwd. Ik hoop dat het een mooi verhaal wordt, Jan. Het kan maar beter een héél goed verhaal worden, dat begrijp je toch wel?'

'Ja juf,' zegt Jan. 'Ik begrijp het. Het zit zo – ik heb de arm mee naar school genomen omdat ik aan u wou vragen of ik er een spreekbeurt over mag houden.'

'Een spréékbeurt,' herhaalt juf Sybille met een uithaal. 'Wel, wel. Nou, kom dan maar voor de klas, Jan.'

'Ja juf.'

Juf Sybille grijnst. 'Dus jij wou een spreekbeurt houden over die arm. Zomaar. Helemaal uit jezelf? Ook al ben je nog niet aan de beurt?'

'Ja juf.' Jan knikt.

Dani's lippen trillen. O Jan! Straks wordt hij van school gestuurd. En hij leert net alle kinderen een beetje kennen. En hij doet nog wel zo zijn best om gewoon te zijn. Dani wil dat hij bij haar blijft, bij haar in de klas...

Dani snikt. Een traan rolt over haar wang en drupt op haar tafeltje.

Dat is nu ook weer niet de bedoeling. Juf Sybille pakt een zakdoekje uit haar la. Ze legt het over de hand van de arm en steekt die naar Dani toe. Dani pakt het zakdoekje aan. 'Dankjewel, arm,' snottert ze. Ze snuit haar neus.

'Ik houd mijn spreekbeurt over een arm...' begint Jan.

'Dat slaat nergens op!' roept Wendolien door de klas.

'Wendolien! Schrijf twintig keer voor morgen: "Ik mag niet door de klas schreeuwen",' zegt juf Sybille.

'Ja maar...' schreeuwt Wendolien.

'Dertig keer.'

Wendolien klemt haar kaken op elkaar.

'Nou, Jan, ik ben benieuwd,' zegt juf Sybille.

De poepopschepper

'Ik houd mijn spreekbeurt over een arm. Mijn vader zegt altijd: "Jan, denk na over je toekomst. Wat wil je worden? Piloot? Bakker? Kapitein? Violist"? Dus ik denk na over wat ik wil worden als ik 's avonds in mijn bed lig.'

Juf Sybille knikt. Ga verder Jan, betekent dat. Het gaat goed tot nu toe.

'Ik heb er veel over na-gedacht. Ik wil in ieder geval geen suikerspin-nenkraam later. Ook al is het hartstikke leuk om met de kermis mee te reizen en gratis in het spookhuis te mogen. Want als ik later dan vader word, dan kunnen mijn kin-deren nergens écht naar school. Dan komen ze telkens weer bij vreemde kinderen in de klas. En de meesters en juffen zeggen "kermiskind" tegen ze alsof ze schelden. En als er eens iets kwijt is, krijgen mijn kinderen natuurlijk meteen de schuld. "Kermiskinderen stelen," zeggen ze dan.'

Juf Sybille snuft. Ze pakt nog een zakdoekje uit haar la, dit keer om haar eigen neus in te snuiten.

'Dus ik bedacht dat ik uitvinder wilde worden,' gaat Jan verder. 'Alleen wist ik niet meteen wat ik moest uitvinden. Maar dat is niet zo erg, want ik kan toch altijd mijn vader nog helpen in onze groentewinkel. En toen zag ik op een ochtend een arm in een puinbak liggen. Die arm was van een oude etalagepop. En ik dacht: met die arm kan ik misschien iets uitvinden.'

Dani kijkt op. Wat kan Jan snel verzinnen! Zou hij echt uitvinder willen worden, of vindt hij dat nou net uit?

'Ik nam de arm mee en Dani en Kareltje hebben me geholpen er iets mee uit te vinden.'

Kareltje schiet rechtop in zijn stoel. Trots kijkt hij de klas rond. Hij heeft Jan geholpen met uitvinden. Niet dat hij dat wist, maar dat geeft niks. Jan zegt het toch maar!

'Hier in deze stad mot je hondenpoep opruimen als je je hond uitlaat in het park,' zegt Jan. 'Wist u dat, juf?'

Juf Sybille kijkt Jan aandachtig aan. Ze heeft de arm rechtop tegen de poot van haar bureau gezet.

'Jazeker weet ik dat, want ik heb zelf ook een hondje. Een terriër,' zegt ze.

'O. Dus u krijgt wel eens vaker een hondenzoentje?' vraagt Jan.

'Ja, maar dan word ik er niet bij omver gegooid. En daar hebben we het nu ook niet over. Jij bent je spreekbeurt aan het houden en die gaat niet over mij en hondenzoentjes.'

'Ja juf. Nee juf. Goed juf. Nou, je mot die hondenpoep dus opruimen.'

'Móét, Jan. Je móét de hondenpoep opruimen.'

'Ja juf. Dat mot dus. En dat is eh... vies. Onhygi... eh...'

'Onhygiënisch.'

Jan knikt. 'Ja, dat bedoel ik. En daar is mijn uitvinding dus voor.'

Het is muisstil in de klas. Jan wacht even om de spanning op te voeren. Dan stapt hij naar de arm. Hij pakt hem op. Hij loopt ermee naar de prullenbak en roert erin.

'Wat doe je, Jan?' vraagt juf Sybille.

'Ik zoek iets...' mompelt Jan. 'Hier, ik heb het al...' Hij vist een smoezelig boterhamzakje uit de prullenbak en trekt het over de hand.

'Dit is zogenaamd zo'n poepzakje dat naast de vuilnisbak hangt,' legt hij uit. 'Wilt u iets op de grond leggen wat op een drol lijkt, juf?'

Juf Sybille weet zo gauw niks. Ze rommelt in haar tas en haalt er een zakje uit met een bruine boterham erin.

'Dit dan maar,' zegt ze. Ze legt het voor Jan op de grond.

Jan gaat er eens goed voor staan. 'Let op, allemaal,' kondigt hij aan.

En hij schept met de arm de boterham op de hand.

'Ik heb dus een poepopschepper uitgevonden, en dat is heel hygiënisch en ik denk dat heel veel mensen die altijd poep op motten scheppen er blij mee zullen zijn.'

'Op móéten scheppen,' verbetert juf Sybille hem opnieuw. Haar ogen glanzen. Ze pakt haar boterham van de hand af en bekijkt hem alsof hij van goud is.

'Ja, dat zeg ik,' zegt Jan. 'En dit was mijn spreekbeurt. Ik hoop dat jullie het leerzaam vonden. Amen.'

Juf Sybille staat op. Ze klapt in haar handen. 'Wat een fantastische uitvinding!'

De kinderen springen op. Ze klappen en juichen en dansen tussen de tafeltjes. Het gevaar is geweken. Juf Sybille heeft weer een goed humeur.

'Wat is zijn cijfer, juf?' roept Kareltje.

'Cijfer, eh... o, ja. Jan? Mag ik die arm hebben?' vraagt juf Sybille. 'Jobbiaantje, mijn terriër, kan er wat van, als je begrijpt wat ik bedoel. Dus ik wil graag gebruik maken van je uitvinding.'

'Of u hem mag hebben?'

Jan kijkt Dani aan.

Dani's ogen schitteren. Er ligt een brede lach op haar gezicht. Ze knikt. Ja, natuurlijk!

'Ja, graag!' roept Jan. 'Eh... ik bedoel: ja natuurlijk, juf!'

'Mooi zo.' Juf Sybille wrijft tevreden in haar handen. 'Je mag gaan zitten, Jan. Je hebt een tien voor je spreekbeurt.'

Hier zijn ze!

Dani en Jan rennen de groentewinkel binnen. 'Ik heb een tien voor mijn spreekbeurt!' roept Jan.

Pa Donder laat bijna een zak tomaten uit zijn handen vallen van plezier. 'Een tien!' herhaalt hij. 'Het hoogste wat ik ooit heb gehaald was een zes, en dat was op de kleuterschool voor plakken! Dus ik begrijp dat je het naar je zin hebt, op je nieuwe school, dondersteen van me?'

Hij sluit Jan in zijn armen en drukt hem bijna fijn. Dani blijft een beetje verlegen staan.

'Waar ging die spreekbeurt eigenlijk over?' vraagt Pa Donder, als hij Jan loslaat.

'Over de poepopschepper,' zegt Jan. 'Waar had jij trouwens die arm gelaten, Pa?'

'Een poepopschepper? Wat is dat nou weer...' mompelt Pa Donder. 'Hè? Die arm? O, die heb ik gisteren bij het vuilnis gezet. Daar zal niemand nog last van hebben.'

Mami heeft pizza meegenomen. 'Vandaag trakteer ik op eten, buurman!' roept ze als ze de groentewinkel binnenstapt.

'Pieieieip piep!' Er schiet een muis langs haar heen.

Mami geeft een schreeuw en springt pardoes in de grote bak aardappelen.

'Mrrraaauw!' Nacht spurt voorbij. Zijn groene ogen spugen vuur. Zijn hoektanden zijn ontbloot. 'Mrrraaauuw!'

Pa Donder pakt de pizza's van Mami aan en helpt haar uit de bak aardappels. 'Die kat van ons begrijpt nou waar die muizen

heen moeten – naar de buren!' zegt hij blij.

'Maar niet naar de bo...bovenburen, hoop ik,' bibbert Mami.

'Nee, hiernaast,' zegt Pa Donder snel. 'Een paar huizen ver-
derop, bedoel ik natuurlijk.'

Wendolien lust salami, en Nacht lust het ook. Ze liggen naast
elkaar in de mand. Nacht likt Wendoliens snuit af, die naar
salami smaakt.

'Ze zijn vriendjes geworden,' zegt Dani. Ze kijkt naar Jan.
Jan glimlacht naar haar.

'Buurman, mijn droogtrommel doet het niet. Zou je misschien even willen kijken of ik hem goed heb aangesloten?' vraagt Mami. Ze heeft een kleur. Dat is omdat ze opnieuw om hulp moet vragen en omdat ze al twee glazen wijn op heeft.

'Natuurlijk wil ik even kijken,' zegt pa Donder hoffelijk.

'En mag ik zo brutaal zijn, buurvrouw, zou ik vanavond jullie strijkbout mogen lenen? Die van ons is kapot en ik heb nog geen tijd gehad om een nieuwe te kopen.'

'Ja, natuurlijk,' zegt Mami.

De bel gaat.

'Ik doe wel open,' zegt Jan. Hij loopt de winkel in.

Er staan mensen op de stoep. Veel mensen. En vooraan staat juf Sybille, zwaaiend met de arm.

'O, nee!' kreunt Jan.

Mami, Pa Donder en Dani kijken om. Ze staan op en komen de winkel in.

'Wat is er aan de hand?' vraagt Mami verschrikt.

Dani kan geen antwoord geven. Haar hart klopt wild. Daar is die arm weer. Die rotarm! Dat vreselijke rotding!

Pa Donder maakt de winkeldeur open. Juf Sybille stapt naar binnen. Ze wijst met de arm naar voren en prikt met een vinger in Jans borst.

De andere mensen dringen achter juf Sybille aan naar binnen. 'Opzij, opzij,' roepen ze. En: 'Ik kan niks zien!' En: 'Mag ik er even langs, alstublieft?'

'Dit is hem!' roept juf Sybille.

Het wordt stil in de winkel. Iedereen staart naar Jan.

Jan is vuurrood geworden. Hij voelt Dani's hand in de zijne kruipen. Ze knijpt hem zachtjes.

'Dit zijn ze!'

De mensen kijken nu ook naar Dani.

'Tataratááá! De uitvinders van de poepopschepper!' roept juf Sybille triomfantelijk. 'En ze zitten bij mij in de klas!'

Flits!

'Een foto voor de krant! Als iedereen even bij elkaar wil gaan staan!' roept een fotograaf.

Pa Donder weet niet wat er aan de hand is. Maar als er een foto genomen moet worden, weet hij wel wáár dat moet gebeuren.

'Kom allemaal even mee naar buiten, daar is het lichter,' stelt hij slim voor. Het slaat nergens op want buiten is het ook al bijna donker, maar er staat wel een lantaarnpaal voor de deur en er is meer ruimte.

'Wie moeten er allemaal op de foto?' vraagt hij, als iedereen buiten staat.

'De uitvinders van de poepopschepper natuurlijk!' roept de fotograaf. 'En die juf mag erbij en u en uw vrouw mogen er ook bij.'

'En de hond?' vraagt Pa Donder.

'Is er een hond? Mooi mooi! Natuurlijk moet die er ook bij! En die kinderen moeten de poepopschepper vasthouden.'

Juf Sybille sjort aan Jan en Dani en zet ze naast elkaar voor het raam. 'U dáár!' commandeert ze Mami.

Pa Donder heeft Wendolien uit de keuken gehaald. Hij kijkt naar het raam waar de woorden

op staan. 'Nog een beetje naar links allemaal,' roept hij. Gehoorzaam schuifelen Dani en Jan een stukje opzij.

Juf Sybille duwt Jan de arm in zijn handen. Pa Donder gaat op de vensterbank zitten en trekt Wendolien tegen zich aan. Mami bukt zich nog even snel en veegt met een zakdoekje met wat spuug eraan over Dani's kin. 'Pizzasaus,' legt ze uit.

Dani trekt een vies gezicht. De fotograaf flitst.

'Ja, hallo! Jullie moeten wel een beetje lachen!' schreeuwt hij.

Jan en Dani trekken hun mondhoeken omhoog.

Flits! Flits!

Pa Donder wrijft in zijn handen. 'Alles staat er goed op!' zegt hij tegen Mami.

'Maar wat is er nou eigenlijk aan de hand met onze kinderen? Waarom is de krant er met de schooljuf?' zegt Mami zenuwachtig. 'En wat is een poepopschepper in vredesnaam?'

Pa Donder haalt zijn schouders op. 'Al sla je me dood...' zegt hij. 'We zullen het zo wel horen, denk ik.'

Dani en Jan zitten met juf Sybille en twee mensen van de krant aan de keukentafel. Pa Donder en Mami zitten erbij, met een kopje koffie voor de schrik.

'Klopt het dat jullie de uitvinder van de poepopschepper zijn?' vraagt de ene reporter, een vrouw.

Dani knikt. 'Ja. Jan wou altijd al uitvinder worden,' zegt ze.

De vrouw begint ijverig op haar laptop te typen. Pa Donder kijkt verbaasd naar Jan. Jan geeft hem een schop onder de tafel.

'Au,' zegt Pa Donder hardop. Hij bukt zich om zijn been te wrijven en mompelt lelijke woorden.

'Waarom hebben jullie een arm gekozen om poep mee op te scheppen en niet bijvoorbeeld... eh... een soort lepel met een hele lange steel?' vraagt de man.

'Nou kijk, iedereen die poep mot scheppen, die schaamt zich dood,' legt Jan uit. 'Maar als je zo'n arm hebt, dan is het grappig. Een soort geintje. Dan kan je erom lachen en hoef je je niet te schamen.'

'Poep móét scheppen,' verbetert juf Sybille.

De vrouw draait zich nu naar juf Sybille. 'Kunt u ons iets vertellen over deze leerlingen?'

Juf Sybille haalt eens diep adem. Haar borst zwelt. 'Tja, vanaf de dag dat ze mijn klas binnenkwamen wist ik het al: dit zijn geen gewóne kinderen.'

Pa Donder verbergt zijn gezicht in zijn handen. Mami's gezicht vertrekt treurig. Dani en Jan durven niet op te kijken.

'Ik dacht: deze kinderen hebben fantasie! Met deze twee donderstenen krijg ik nog heel wat te stellen,' eindigt juf Sybille trots.

De reporters typen. Nacht snurkt. Wendolien laat een wind. Verder is het heel stil.

Juf Sybille kijkt het kringetje rond. 'Wat zitten jullie daar nou sip?' vraagt ze. 'Ik zeg toch niks onaardigs? Wie wil er nou gewóón zijn? Niemand toch zeker?'

Heel gewoon

Zaterdagochtend vroeg. De krant valt op de mat.

Wendolien komt overeind uit haar mand en draaft de winkel in. Ze neemt de krant in haar bek en draaft ermee naar Pa Donders slaapkamer. Nacht komt achter haar aan en springt op het voeteneinde van het bed om daar weer verder te slapen.

Pa Donder is wakker. De wekker is net afgegaan. Licht piept tussen zijn gordijnen door.

Jan komt zijn kamer binnen. 'Mag ik nog even bij jou in bed, Pa?'

Pa Donder slaat zijn dekbed op. Jan kruipt naast hem en draait en wroet net zolang tot hij lekker ligt.

'Welke dag is het? Mot je niet naar school, draaikont?'
vraagt Pa Donder nog slaperig.

'Het is zaterdag,' mompelt Jan.

Pa Donder schiet overeind. 'Zaterdag!' zegt hij verschrikt.
'Werk aan de winkel!'

Hij reikt naar het gordijn en geeft er een ruk aan. Licht
stroomt de kamer binnen. Dan ziet hij de krant liggen.

'O, dank je wel, Wendolien.'

Hij pakt hem en slaat hem open.

'DONDERS! *Eindelijk een poepopschepper!*' leest hij hardop.

Jan schiet overeind en kijkt mee naar de grote foto op de
voorpagina.

Juf Sybille kijkt trots, Mami ziet er geschrokken uit, Dani
en hij houden de arm vast, en Pa Donder wijst stiekem omhoog naar de woorden op het raam. Wendoliens tong hangt
uit haar bek.

'*Op Botermarkt 38 vindt u de groentewinkel van Kees Donder,*' leest
Pa Donder. '*Hier op de foto ziet u mevrouw en mijnheer*

Donder. Daartussen Jan en Dani Donder, de uitvinders die hun poepopschepper vasthouden. Middenachter staat de trotse schooljuffrouw die de krant heeft verwittigd van deze vernuftige uitvinding.'

'Wat is vernuftig?' vraagt Jan.

'Dat je iets knap bedacht hebt,' zegt Pa Donder. Hij wrijft tevreden in zijn handen. 'Zoals ik, toen ik zei dat we allemaal voor de winkel moesten gaan staan zodat ik mooi reclame voor mezelf kon maken. Wat is verwittigd?'

'Dat je iets in de krant te schrijven hebt, anders blijven de bladzijden helemaal wittig,' zegt Jan.

Boven aan de ontbijttafel luistert Dani naar Mami, die haar uit de krant voorleest: *Toen overal in de stad armen opdoken: in het park, in de bosjes, op de basisschool, in de gracht, en toen er zelfs honden mee rondliepen, kwamen twee slimme kinderen op het idee de armen te gebruiken om een akelig en onhygiënisch klusje mee te klaren – poep opscheppen!'*

'Maar hoeveel armen liggen er hier dan in de stad?' roept Mami.

'Er was er gewoon één,' probeert Dani uit te leggen.

'Gewoon, gewoon, hoe bedoel je gewóón!' moppert Mami. Ze kijkt naar de foto. 'Ik sta erop als een verschrikte kip,' zegt ze ontevreden.

Dani kijkt mee. 'Helemaal niet. Je ziet er juist heel slank uit,' zegt ze.

Mami's gezicht klaart op. 'Echt?'

Dani knikt. 'Slank en jong en leuk.'

Mami lacht. 'Vooruit dan maar,' zegt ze. 'Vleier. Smoezer. Praatjesmaker.' Ze spreidt haar armen uit. Dani loopt erin en laat zich knuffelen.

'En hoe zie ik eruit?' vraagt Dani als ze uitgeknuffeld zijn.

Mami kijkt eens goed op de foto. Dan naar Dani. Dan weer naar de foto.

'Gewoon,' zegt ze. 'Is dat nou niet raar? Jij ziet er heel gewoon uit.'

Dani kijkt aandachtig naar zichzelf. 'Ja, heel gewoon,' geeft ze toe.

Ze kijken naar Jan en Pa Donder. 'Jan ziet er ook best gewoon uit.'

Ze beginnen te giechelen. Steeds harder. Net zolang tot ze de slappe lach krijgen.

Er wordt gebeld. Dani struikelt de trap af. Jan en Pa Donder staan met de krant voor de deur. Verbaasd lopen ze achter Dani aan naar boven.

'Ik dacht, misschien willen jullie de krant zien,' zegt Pa Donder.

'Ja!' zegt Mami, nog steeds lachend. 'Vooral die foto. Hahaha!'

Pa Donder en Jan buigen zich over haar krant en kijken nog eens naar de foto.

Dani wijst. 'Moet je zien, Jan! We zien er heel... hihi, gewóón uit! Heel gewoon.'

Pa Donder grinnikt. 'Verrek, ja,' zegt hij. 'Echt heel gewoon. Zelfs Jan ziet er gewoon uit. Die foto is echt goed gelukt! Niemand ziet iets aan jullie.'

Jan en Dani lopen de winkel in. Ze maken de riem vast aan Wendoliens halsband en stappen de gracht op.

Een fris windje waait over het water. Een paar herfstbladeren dansen over de straatstenen.

'Waar gaan we heen?' vraagt Dani.

'Maakt niet uit,' zegt Jan. Hij pakt haar hand.

'De hoek om en dan weer een hoek om en nog een hoek om,' zegt Dani. 'Daar wil ik heen.'

'Goed,' zegt Jan. Wendolien trekt aan de riem. Ze lopen achter haar aan.

'We weten niet waar we heen lopen,' zegt Dani.

'Nee, we kennen hier de weg niet,' zegt Jan.

'Om iedere hoek zien we iets nieuws,' zegt Dani.

Jan lacht. Hij begint te rennen.

'Kom op dan!' roept hij. 'Wie het eerst bij de hoek is!'